no hay tiempo

anne crausaz

petra ediciones

alas y raíces

CONACULTA

DIRECCIÓN GENERAL
DE PUBLICACIONES

cuando Ernestina y

Roberta no están ahí...

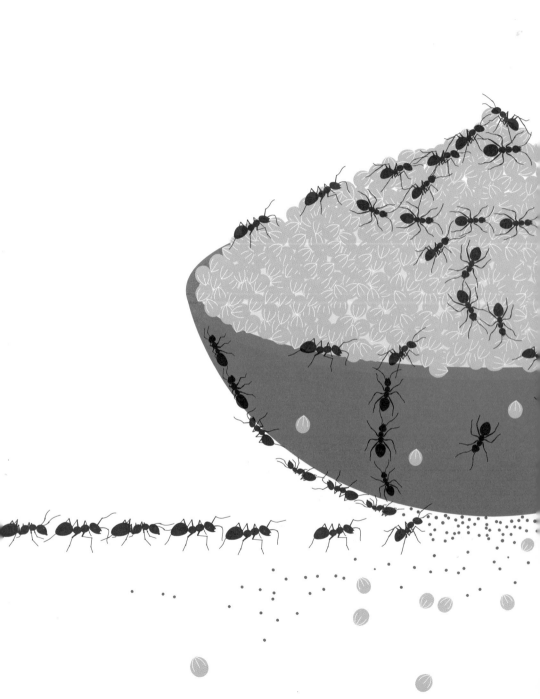

las hormigas trabajan

—¡hormigas, vengan a jugar
al burro saltado!

—no hay tiempo para divertirse,
chapulín...

...no hay tiempo

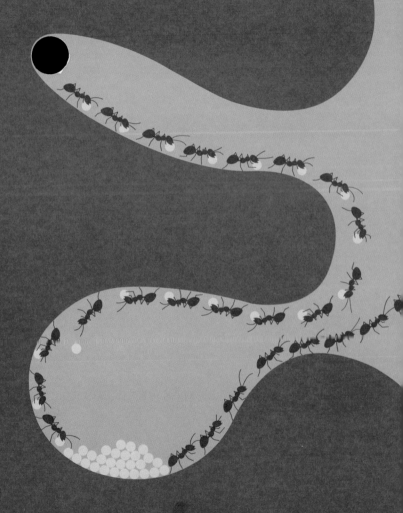

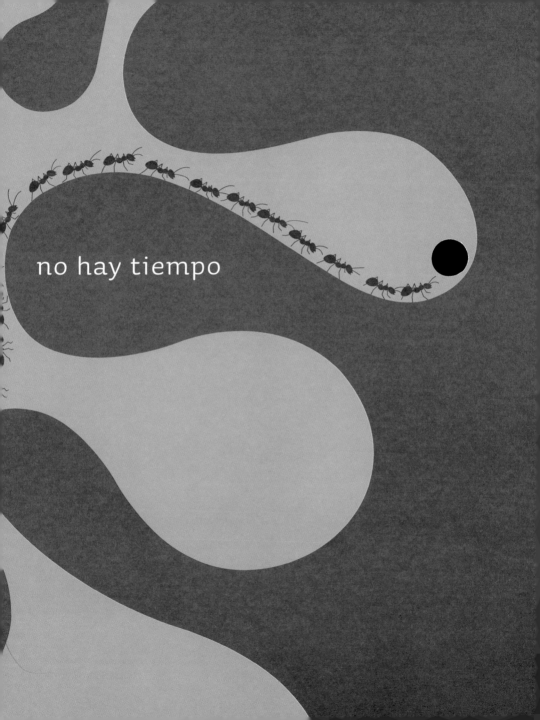

no hay tiempo

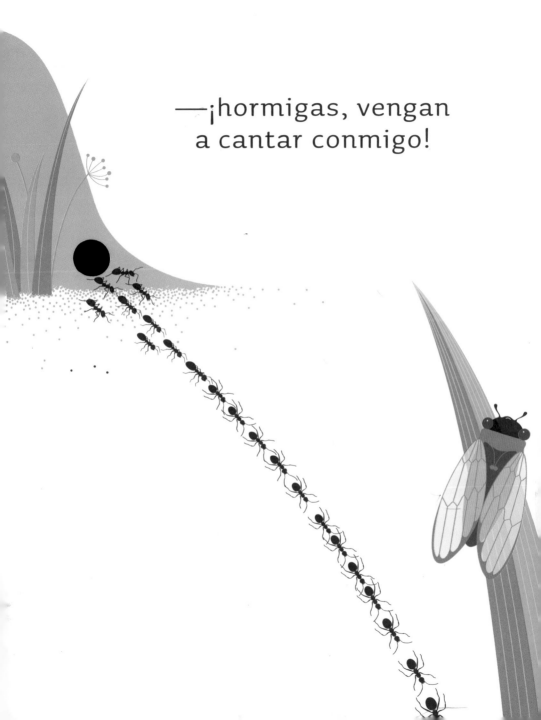

—¡hormigas, vengan
a cantar conmigo!

—no hay tiempo para aprender
tu canción, cigarra...

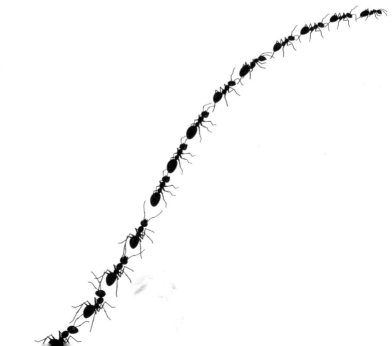

...no hay tiempo, no hay tiempo

—¡hormigas,
es la hora de la merienda!

—no hay tiempo para mordisquear,
oruga...

...no hay tiempo

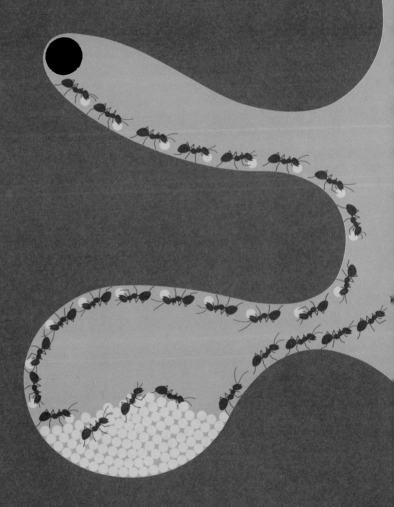

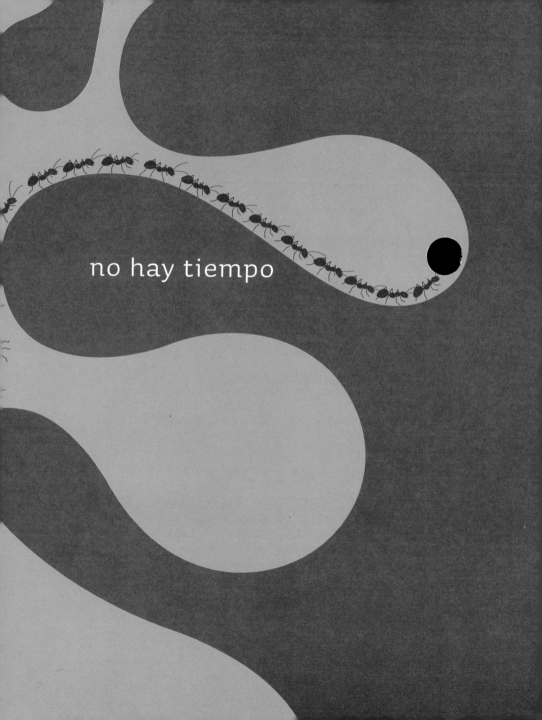

no hay tiempo

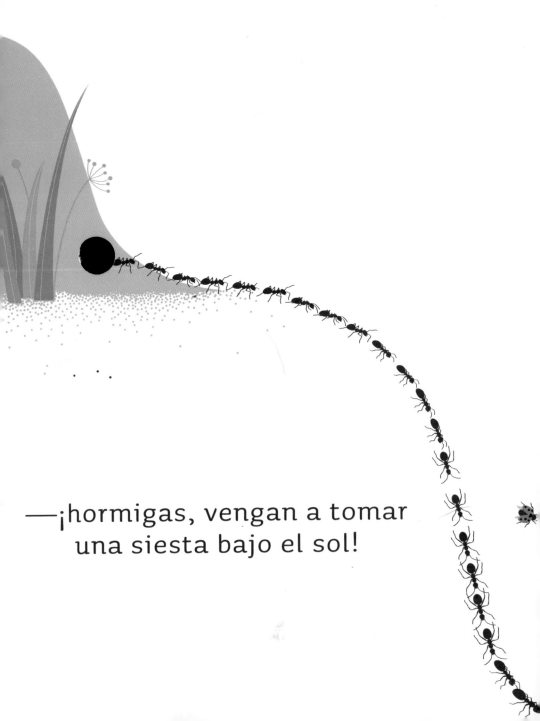

—¡hormigas, vengan a tomar
una siesta bajo el sol!

—¡no hay tiempo para dormir,
catarinas!

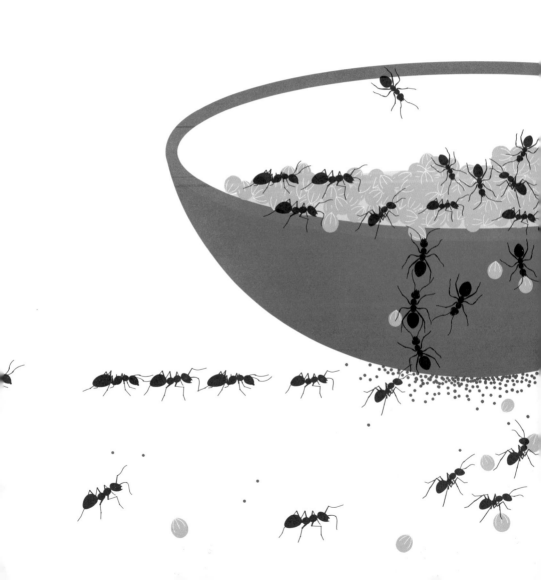

...no hay tiempo, no hay tiempo

—¡hormigas, vengan
a beber néctar!

—no hay tiempo para saborear,
abejas

...no hay tiempo

no hay tiempo

—¡vuelve rápido a tu casa,
hormiga! ¡ya vienen!

—tomo mi tiempo,
rinoceronte…

y cuando Ernestina y Roberta
regresan, hambrientas,